Jonna & Milan
Liefdesbriefjes

Jonna  Milan

liefdesbriefjes

Eva Susso

Illustraties
Jeska Verstegen

KLUITMAN

Jonna & Milan

Liefdesbriefjes
Vlinders in je buik

NEDERLANDSE
KINDERJURY
2007

Omslagontwerp: Frederike Boomars
Illustraties: Jeska Verstegen
Nederlandse vertaling: Corry van Bree
Dit boek is gedrukt op chloorvrij gebleekt papier,
dat vervaardigd is van hout uit productiebossen.

Nur 282, 283 / LP020601
© Eva Susso
© MMVI Nederlandse editie:
Uitgeverij Kluitman Alkmaar B.V.
First published by Alfabeta Bokförlag, Sweden.
Oorspronkelijke titel: *Kompishjärtat*.

www.kluitman.nl

BIJ KONINKLIJKE BESCHIKKING
HOFLEVERANCIER

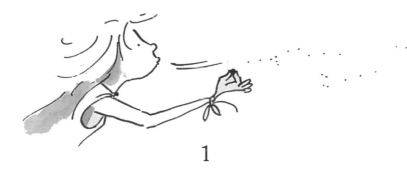

1

Een geheime boodschap

Zodra Jonna de voordeur opendoet en over de drempel stapt, ziet ze hem. De witte envelop op de deurmat. Ze bukt zich en raapt hem op. Ze draait de brief om en om. Dan leest ze wat er op de voorkant geschreven staat:

JONNA ERIKSSON

Een brief voor haar! Van wie kan die zijn?

Haar hart bonst als ze de envelop openscheurt.

Er zit een stuk papier in. Daarop staat:

Hallo mooie Jonna.
Hier heb je een dropje.
Van je stille aanbidder.

Een stille aanbidder? Wie kan dat zijn? Jonna giechelt.

Ze leest de brief weer, langzaam dit keer. Dan ontdekt ze

het rode hartje. Een klein, vuurrood hartje, helemaal onder aan het papier.

En Jonna dacht nog wel dat het een grapje was. Maar het is een echte liefdesbrief! De eerste liefdesbrief die ze in haar hele leven gekregen heeft.

Plotseling lijkt alles heel onwerkelijk, als in een droom.

Nu begint het, denkt ze. Nu word ik groot. En daar is helemaal niets aan te doen.

Jonna wil hard gillen. Maar dat kan niet, want dan komt papa naar haar toe en wil hij weten wat er gebeurd is. Daarom gilt ze van binnen. Stil. Ik wil niet groot worden! gilt ze. Niet nu. Nog niet. Ik wil niet!

Maar het is te laat.

Als ze haar ogen dichtknijpt, voelt ze het al in haar hele lichaam. Het kriebelt en gloeit in haar armen en benen. Die zijn nu beslist aan het groeien. Help! Straks is ze twee meter lang en stoot ze met haar hoofd tegen het plafond.

Hoe zal het zijn? Wordt ze dan anders?

Ze doet haar ogen open. Tot nu toe is er niets aan de hand. Ze ziet eruit zoals altijd. Dezelfde dunne armen en benen, vol met sproeten.

Jonna houdt de envelop ondersteboven en er valt een dropje op de grond. Ze raapt hem op, blaast wat zandkorrels weg en stopt hem in haar mond.

De geheimzinnige briefschrijver weet dat ze van drop houdt. Net zoals de meeste kinderen op school. Maar bijna iedereen is met vakantie. Fanny heeft haar net nog gedag gezegd, ze vertrekt morgen naar het platteland.

Milan is er natuurlijk nog. Maar waarom zou hij een brief schrijven, hij en Jonna zien elkaar toch elke dag? Zou Milan zo'n stiekemerd zijn? Jonna kan het zich niet voorstellen.

Ze stopt de envelop en het briefje in haar zak.

'Papa,' zegt ze en ze loopt zijn werkkamer in. 'Is er iemand geweest die iets voor mij heeft gebracht?'

Papa kijkt op van zijn computer. 'Nee hoor. Hoezo?'

'Zomaar,' antwoordt Jonna en ze gaat naar de keuken.

'Trouwens,' roept papa haar achterna, 'Milan heeft gebeld!'

Terwijl Jonna het nummer van Milan intoetst, besluit ze om het ook niet aan hem te vertellen. Nog niet. Ze vertelt aan niemand dat ze een geheime liefdesbrief heeft gekregen. Niet voordat ze heeft uitgezocht wie hem geschreven heeft. Want als het echt zo is dat ze nu al groot moet worden, wil ze graag weten wie dat op zijn geweten heeft. En die krijgt er flink van langs!

2

Ik wil niet groot worden

Jonna neemt een boterham met kaas mee omdat papa geen eten heeft gemaakt. Zoals gewoonlijk. Hij is zo druk bezig met het boek dat hij aan het schrijven is, dat hij alles om zich heen vergeet.

Ze gaat in het park zitten wachten. Ze bijt op haar nagels en schommelt met haar benen.

Nu word ik dus groot, denkt ze. Het eerst van iedereen. Niemand anders van haar klas heeft een liefdesbrief gekregen. Zelfs Fanny nog niet. Gek eigenlijk, want zij is toch de knapste.

Jonna giechelt bij de gedachte dat er iemand is die haar knap vindt. Misschien zelfs knapper dan Fanny, misschien wel het knapst van de hele wereld!

Alhoewel ze het niet wil, voelt Jonna zich warm worden als een pasgebakken broodje. En een beetje duizelig.

De boomtoppen ruisen. Het klinkt alsof ze fluisteren. Mooie Jonna, fluisteren ze. Mooie Jonna.

Jonna lacht om zichzelf. Ja hoor, wat belachelijk eigenlijk.

Daarna denkt ze erover na hoe lang het geleden is dat ze hier met de andere kinderen rondrende en kattenkwaad uithaalde. Toen was de speeltuin een geheimzinnige plek, vol spannende avonturen.

Toen ik klein was, was het hier heerlijk, denkt Jonna. Mama kocht een kop koffie bij het winkeltje in het park en je kon er fietsen en graafmachines en scheppen en zo lenen. Nu ziet alles er zo treurig en versleten uit. Het winkeltje is gesloten en het blauwe klimrek lijkt op een oud, verbleekt dinosaurusskelet.

Binnenkort zal alles afgebroken worden, heeft Jonna gehoord. Er komt een parkeerterrein voor in de plaats.

Alles is anders als je klein bent, denkt ze. En nu ben ik bijna groot. Ze strijkt met haar handen over haar borstkas. Binnenkort krijg ik ook borsten. Borsten die haar shirt zullen laten opbollen. En de jongens zullen gluren en grijnzen. Jemig, wat zal ze zich schamen.

Jonna wil niet meer aan die narigheid denken.

Ze kijkt of ze Milan al aan ziet komen. Ze moet altijd op hem wachten. Maar gelukkig heeft ze hem nog. Anders had ze niemand om mee om te gaan. Papa heeft nooit tijd en mama werkt in Parijs. Vandaag is het dertien juni, dan is ze dus al twee maanden weg. Al vanaf april.

Werken.

Dat is wat grote mensen doen.

Wat verschrikkelijk om groot te worden.

Jonna slaat haar armen om zich heen. Ze weet haast niet meer hoe mama eruitziet. Zelfs als ze haar ogen dichtdoet en hard nadenkt, kan ze haar gezicht niet duidelijk voor zich zien. Ze ziet alleen een wazige vlek met daarbovenop een beetje licht haar.

Maar binnenkort komt ze in ieder geval thuis. En als papa klaar is met zijn boek, gaan ze naar zee en in een vakantiehuisje slapen. Jonna kan bijna niet meer wachten.

De zee is het fijnste wat er bestaat. In de eerste plaats is de zee zout en Jonna houdt van alles wat zout is. Behalve van zoute haring met uiensaus. Zoals oude Frida haar een keer gegeven had. In de tweede plaats is de zee de spiegel van de hemel. Daarom kan het water zoveel verschillende kleuren hebben: donkerblauw, lichtblauw, glanzend groen of blauwgrijs. Zelfs rood als de zon ondergaat.

Jonna houdt ervan om op een rots te zitten en naar de horizon te kijken. Te luisteren naar de golven die hard tegen de stenen slaan of na een rustige dag tevreden en zacht klotsen. En kleine krabbetjes in een emmer vangen is bijna het leukste wat er is. Alhoewel ze ze altijd weer vrijlaat…

Plotseling hoort Jonna gerammel achter zich.

Het is de vrouw die frisdrankblikjes verzamelt. Ze draagt twee vesten over haar jurk en heeft handschoenen aan, ondanks dat het snikheet is. Behendig graait ze in de afvalemmer, vindt een blikje, giet de laatste druppels eruit en stopt het in een plastic zak. Als de vrouw Jonna ontdekt, blijft ze haar even aanstaren. Dan zoekt ze weer verder.

Stakker. Ze heeft niemand die voor haar zorgt. Als je groot bent en er is niemand die naar je omkijkt, dan is dat niet best.

Jonna bijt op de nagels van haar andere hand. Er blaft een hond. Ze kijkt onrustig in de richting van de Groendalseweg. Laat het alsjeblieft niet Birger zijn die daar aan komt sjokken. Maar het is hem wel. Hij laat Sigge uit, de hond die hij vernoemd heeft naar zijn dode vader.

Jonna duikt weg onder het klimrek.

Birger mag haar absoluut niet zien. Hij is niet goed bij zijn hoofd. Hij vecht en eet snot, en zijn voeten stinken. Er is niet één meisje op school dat bij hem in de buurt durft te komen.

Op het dak van de fietsenstalling

Jonna rent naar de andere kant van het park, naar de oude fietsenstalling. Het platte, krakende dak is de plek van haar en Milan. Daarboven kan niemand hen zien. De esdoorns strekken hun takken uit en bedekken het hele dak met bladeren, als een groen nest.

Ze klimt voorzichtig omhoog op de kapotte ladder die tegen de muur staat en gaat op het warme asfalt liggen. Dan haalt ze het papiertje uit haar zak en leest nog een keer wat erop staat.

Hallo mooie Jonna.
Hier heb je een dropje.
Van je stille aanbidder.

Het hartje is heel mooi. Rood en rond. Het is raar om erover na te denken, dat degene die het getekend heeft verliefd op haar is, op Jonna Eriksson, tien jaar. Wie kan het zijn? Bobby misschien, of Felix?

Of die leuke Simon uit groep acht!

Omdat het zo erg is dat ze groot moet worden, is het eigenlijk het beste als het Simon is. Fanny zal jaloers zijn. En alle andere meisjes. Iedereen vindt Simon leuk. Hij is zo verschrikkelijk knap.

Nu heeft Jonna er spijt van dat ze het dropje heeft opgegeten. Ze had het samen met het briefje moeten bewaren. Als ze meer geheime liefdesbrieven krijgt, kan ze erover opscheppen tegen Fanny en de andere meisjes van de klas. Dan zou het nog van pas komen. Laat het alsjeblieft Simon zijn.

Maar diep van binnen gelooft Jonna niet dat hij het is. Waarom zou die knappe Simon uit groep acht zich voor haar interesseren? Hij heeft nog nooit met haar gepraat, of naar haar gekeken. Hij wil vast een meisje van zijn eigen leeftijd. Dat begrijpt Jonna wel.

Felix dan. Een deel van de meisjes op school vindt hem leuk. Omdat hij koekjes en broodjes bij zich heeft en die uitdeelt. Die komen uit de banketbakkerij van zijn ouders. Jonna denkt dat Felix de anderen daarmee probeert om te kopen, om populair te zijn. Daar houdt ze niet van.

Maar stel dat het toch Simon is. Dat hij stiekem verliefd op haar is. Ondanks dat hij veel ouder is. Stel je toch eens voor.

Jonna doet haar ogen dicht. En in haar fantasie ziet ze alles voor zich: ze staan tegenover elkaar op school, op het

13

grasveld. Simon spreidt zijn jas uit zodat Jonna erop kan gaan zitten. De zon verlicht zijn lichtrode haar, zodat het een stralenkrans lijkt. Fanny en de andere meisjes van de klas staan met zure gezichten in een kring om hen heen. Maar Jonna lacht gelukkig en met haar allerzachtste stem zegt ze: 'Dank je wel, lieve Simon.'

Nee, getver, wat belachelijk. Om je dood te schamen.

De ladder kraakt.

4

Milans plan

Jonna frommelt de brief haastig in haar zak. Ze probeert er gewoon uit te zien, alhoewel haar wangen branden als Milans gifgroene pet en vrolijke bruine gezicht boven de dakrand uit komen.

Milans vader is een Afrikaan, daarom is Milan donker en heeft hij krullend haar.

Hij verstopt zijn handen achter zijn rug. 'Raad eens welke?' vraagt hij.

'Rechts,' zegt Jonna.

Milan haalt een zak gemengde zoute drop te voorschijn.

Jonna vindt Milan te gek. Hij verzint altijd leuke dingen en kan goed mondharmonica spelen. En hij verdedigt haar tegen pestkoppen. Op een keer schold iemand Jonna uit voor zoute stengel. Maar daar maakte Milan een eind aan.

'Is er nog iets leuks gebeurd?' vraagt hij.

Nu komt het erop aan. Milan mag absoluut niet weten dat ze een geheime aanbidder heeft.

Jonna schudt haar hoofd. Kijkt niet naar hem. Want dan verraadt ze zich vast en zeker door met haar ogen te knipperen, of rood te worden, of te gaan lachen. En dan begrijpt hij dat ze de waarheid voor hem verborgen houdt.

'Helemaal niets?' houdt Milan vol.

Jonna schudt weer haar hoofd.

Eigenlijk is het geen echte leugen. Er is natuurlijk wel iets gebeurd. Een liefdesbrief krijg je niet iedere dag. Maar je kunt toch niet zeggen dat dat leuk is. Eerder rampzalig. Jonna stopt haar mond vol met zoute drop om niets te hoeven zeggen.

'Alleen wij zijn nog in de stad,' zegt Milan. 'En Birger natuurlijk. En Ricky en Peter.'

'Hm,' mompelt Jonna.

Het zou Ricky kunnen zijn. Hij kijkt altijd naar haar in de kantine. En hij is best knap. Niet zo knap als Simon, en helemaal niet als hij pas geknipt is en zijn Micky Mouse-oren uitsteken. Maar als zijn haar na een paar weken wat langer is, is hij eigenlijk best leuk.

Nee, stop! Waarom blijven de gedachten in haar hoofd rondtollen als ze dat niet wil? Jonna begrijpt niet waarom ze de hele tijd aan die stomme brief denkt. Vanaf nu wil ze er niet meer aan denken. De hele dag niet. Nooit meer. Zodra ze alleen is, gaat ze hem in kleine stukjes scheuren en door de wc spoelen.

'Ik weet iets,' begint Milan. 'Zullen we vannacht buiten slapen? Hier, op het dak?'

16

'Je bent niet goed bij je hoofd,' vindt Jonna.

Buiten slapen kan niet. 's Nachts komen immers al die griezels te voorschijn. Spoken en geesten en enge wezens. Dan weet ze het weer. Ze is te groot om daarin te geloven.

'Je kunt in je slaap over de rand rollen en doodvallen,' zegt ze in plaats daarvan.

'Ach, dat regel ik wel,' zegt Milan.

'Hoe dan?' vraagt Jonna.

Maar Milan hoort het niet, hij staat al op de ladder, op weg naar beneden.

5
Birger, de brievenschrijver

Milan rent naar huis, Jonna holt vlak achter hem. Het lijkt
alsof ze vliegt, licht als een zeepbel voelt ze zich. Het leven
is weer leuk. Spannend, zodat haar benen trillen en ze pijn-
lijke steken in haar maag heeft.

Ze heeft een beslissing genomen. Als Milan het wil, wil
zij het ook.

Vannacht gaan ze op het dak van de fietsenstalling in
het park slapen. En ze gaat haar vader beslist niet vragen
of het mag. Hij zegt toch altijd nee.

Jonna heeft er iets op bedacht. Ze zal doen alsof ze bij
Milan gaat slapen. Zijn vader is een paar jaar geleden
teruggegaan naar Afrika en zijn moeder heeft nachtdienst
in het ziekenhuis. Omdat Milan alleen thuis is, kunnen ze
doen wat ze willen, de hele nacht.

Het is waarschijnlijk het meest verbodene dat ik in mijn
hele leven heb gedaan, denkt Jonna.

Ze kan bijna niet wachten totdat het avond is, ze heeft nu

al vlinders in haar buik. Denk je eens in, slapen onder de sterrenhemel! Milan en zij gaan uitkijken naar vallende sterren. Dan mag je een wens doen, heeft de oude Frida gezegd.

Blij van de voorpret maakt ze een luchtsprong, en op het moment dat ze op het grind landt, vliegt er iets slaps uit de bosjes.

Een dode rat.

Jonna gilt.

Dan stormt er een wild blaffende hond uit de struiken. Daarachter komt Birger, die schreeuwt: 'Blijf van Sigges rat af!'

Met twee stappen is hij bij Jonna. Hij is enorm groot en het snot loopt uit zijn neus. Hij pakt de rat bij zijn staart op en laat hem voor haar gezicht heen en weer schommelen. 'Hou je niet van dode ratten?' vraagt hij met een grijns.

Jonna deinst een paar stappen achteruit en duikt weg in Milans arm.

Sigge snuffelt aan haar voeten en draait om haar blote benen.

'Sigge houdt van mooie meisjes,' zegt Birger.

Dan doet hij iets raars. Hij kijkt Jonna recht in haar ogen en knipoogt.

Het lijkt alsof er een ijskoude wind door Groendal waait. Jonna krijgt kippenvel op haar armen en benen. Birger heeft de liefdesbrief geschreven! denkt ze geschokt.

Ze pakt Milans arm stevig vast. Dat is het. Natuurlijk is

het Birger die haar leven verpest. Wie anders? Geen knappe jongen zoals Simon in ieder geval. Jonna wordt boos op zichzelf. Dat ze het niet meteen begrepen heeft. Getver, wat walgelijk om groot te worden. Stomme Birger.

'Morgen komt mijn neef uit Göteborg,' vertelt Birger. 'Hij is dertien.'

'Leuk voor je,' zegt Milan en hij steekt zijn hand uit om Sigge achter zijn oren te krabben.

'Hij is een idioot,' sist Birger.

'Wie?' pest Milan. 'Fikkie hier, of je neef?'

Birger kijkt hem woedend aan en Sigge ontbloot zijn tanden. Plotseling lijken ze heel erg op elkaar. Twee grommende monsters, met borstelige haren en uitpuilende ogen.

En hem zou ze er flink van langs moeten geven? Hoe zou ze dat moeten doen? Hem met de zweep geven? Moord en brand schreeuwen? Of wat anders? Alleen al bij het idee beginnen Jonna's knieën te trillen.

'Kom,' zegt ze. 'We moeten naar huis om te eten.'

Jonna wil zo snel mogelijk weg. Voordat Birger iets verraadt over de brief. Milan en Birger kunnen elkaar niet uitstaan. Ze wonen in hetzelfde flatgebouw en zitten in dezelfde klas. Maar ze hebben altijd ruzie. En Jonna weet wat Milan ervan zou denken als hij het wist. Hij zou ontploffen van kwaadheid.

'Gegrilde apenvoeten met junglesaus,' brult Birger. 'Is dat

wat ze eten waar jij vandaan komt, Milan?'

Milans donkerbruine ogen fonkelen. 'Smeer 'm, en neem dat keffende vloerkleedje van je mee!' schreeuwt hij terug.

Dan doet Birger iets waar hij spijt van zal krijgen. Bliksemsnel graait hij Milans felgroene pet van zijn hoofd en verdwijnt gemeen lachend in de struiken.

Jonna houdt Milans arm zo stevig mogelijk vast.

Ten slotte kalmeert hij. Hij haalt zijn schouders op en schopt tegen de rat. Zodat die weer in de bosjes vliegt.

6

De vrouw met de wasmand

De gloeilamp in de afvalruimte is stuk. Jonna houdt de
deur open om vanuit de gang licht binnen te laten.

Af en toe komt er een doos of een stuk hout uit het donker aanvliegen. En iedere keer moet ze opzij springen.

'Niet tegen mij aan gooien!' roept ze.

Milan is nog steeds boos omdat Birger zijn pet heeft af-
gepakt. En het wordt natuurlijk alleen maar erger als hij te
weten komt dat Birger geheime liefdesbrieven naar haar
schrijft.

Er komt een vrouw uit de wasruimte met een mand vol
pasgewassen lakens. 'En wat zijn jullie hier aan het doen?'
wil ze weten.

'We zoeken alleen maar wat kleine spullen,' zegt Jonna.

'Het is walgelijk om tussen het grofvuil rond te scharre-
len.' De vrouw trekt haar neus op. 'Ik denk niet dat kinderen overdag in de kelder mogen zijn.'

Precies op dat moment smijt Milan een grote doos naar

buiten. De vrouw laat de mand vallen. Een paar spierwitte lakens glijden op het vieze beton.

'Nu hoepelen jullie hier op,' roept ze met haar schelle stem. 'Anders bel ik de politie.'

Op dat moment doet Milan de deur van de afvalruimte dicht. Hij lacht zijn scheve lach. 'Het spijt me,' zegt hij en hij raapt de lakens van de grond. 'Zal ik u helpen de was naar huis te brengen?'

Het is niet gemakkelijk om een stapel oud hout en karton helemaal naar het park te slepen. Jonna werkt zo hard, dat het zweet onder haar shirt langs haar rug loopt. En ze krijgt een splinter in haar wijsvinger.

Na een poosje duikt Milan op met een gereedschapskist en voor ieder een groene appel. Hij heeft de appels gekregen van de vrouw met de wasmand, als dank voor zijn hulp.

Ze helpen elkaar om de spullen op het dak te tillen.

'Heb je Birger nog gezien?' Jonna kan het niet laten om ernaar te vragen.

Milan schudt zijn hoofd. Dan begint hij te hameren en hij maakt zo'n lawaai dat het door het hele park klinkt. Jonna zou willen dat hij een beetje stiller was. Ze is doodsbang dat Birger erachter komt dat ze hier vannacht gaan slapen.

'Dat kan me geen moer schelen,' mompelt Milan, terwijl hij geïrriteerd het zweet van zijn voorhoofd veegt.

Jonna houdt haar mond. Al snel heeft Milan alle stukken

hout en karton vastgespijkerd en een stevige rand om het dak heen gemaakt.

'Nu kunnen we hier rustig slapen,' zegt hij.

Voordat ze naar huis gaan, helpt hij Jonna met de splinter. Eerst knijpt hij heel hard in haar vingertop. Die wordt helemaal wit. Er komt een kleine druppel bloed uit. En als de splinter te voorschijn komt, pakt hij hem met de tang en trekt hem eruit.

Jonna bijt op haar lip, ze wil niet gaan huilen.

'Met splinters moet je niet spotten,' zegt Milan. 'Die moeten er meteen uit, anders krijg je een infectie.'

7

Wacht op me bij de schommels

Als Jonna even later de buitendeur opendoet, ziet ze een envelop liggen. Net zo een als de vorige keer. Op de voorkant staat JONNA ERIKSSON geschreven.

Snel raapt ze hem op, verstopt hem onder haar shirt, roept dag tegen haar vader en rent naar haar kamer. Haar hart bonkt in haar borstkas.

Hij is van Birger. Daar is ze nu zeker van. Ze ziet het aan het handschrift. Aan de onregelmatige, onbeholpen letters.

Wat wil hij nu weer?

Eigenlijk zou ze de brief niet open moeten maken. Ze zou hem ongeopend terug moeten geven. Dank je wel, maar ik ben niet geïnteresseerd in je achterlijke brieven. Schrijf me alsjeblieft niet meer.

Dan zou hij zich schamen.

Anders kan ze het aan Milan vragen. Dan krijgt Birger op zijn kop.

Jonna keert de envelop om, schudt hem en houdt hem

voor de bureaulamp om te kunnen zien wat er in zit.

Eerlijk gezegd is ze zo nieuwsgierig, dat haar hele lichaam tintelt. Het is net alsof de envelop in haar handen in brand staat. Ze kan er niet meer tegen.

Snel scheurt ze hem open, haalt met een trillende hand het papiertje eruit en leest:

Hallo mooie Jonna.
Wacht op me bij de schommels in het park.
Morgenvroeg, voordat de dauw
verdwenen is, krijg je iets.
Van je stille aanbidder.

Nee!

Net nu Milan en zij op het dak van de fietsenstalling gaan slapen, komt Birger en verpest alles. Hij weer! Wat een spelbreker.

Ach, hij zal hen vast niet ontdekken. En als Jonna niet komt opdagen, krijgt hij er wel genoeg van en sloft hij weer naar huis.

Jonna giechelt in zichzelf. Wat zal hij op zijn neus kijken.

Vreemd.

Op een bepaalde manier is het best interessant om geheime liefdesbrieven te krijgen. In ieder geval als ze er niet aan denkt dat ze van Birger zijn. Het is raar, maar ze voelt zich belangrijk. Speciaal. En ze heeft een vreemd, leeg gevoel in haar maag.

Jonna begrijpt het zelf niet. Dat Birger, die niet goed bij zijn hoofd is, nu juist haar leuk vindt. Dat moet wel betekenen dat hij toch niet zo gek is.

Nee. Dat slaat nergens op. Birger is de ergste jongen van school. Dat mag ze nooit vergeten. Nooit van haar leven. En ze zal hem ervan langs geven zodra ze de kans krijgt. Ze weet alleen niet hoe.

En de brieven moet ze absoluut bewaren. Jonna pakt een oude schoenendoos van de bovenste plank. Ze gooit de inhoud ervan in de prullenmand. Het zijn voornamelijk boekenleggers, en die ruilen Fanny en zij niet meer. Dat werd nogal saai.

Dan neemt ze een besluit. Ze gaat een dagboek bijhouden. Ze gaat alles waar ze met niemand over kan praten opschrijven.

In ieder geval als mama niet thuis is.

Ze pakt een schrift waar maar heel weinig in staat. Dat gumt ze uit. Dan schrijft ze:

JONNA'S DAGBOEK

met mooie letters op de voorkant en stopt het zo ver mogelijk weg in de la van haar bureau.

'Jonna, mama heeft gebeld,' roept papa.

Jonna gaat naar de keuken.

'Jammer dat je niet thuis was,' zegt hij. 'Mama stuurt je heel veel groetjes. Ze werkt de hele tijd en kan haast niet wachten tot ze met je aan het strand ligt.'

Zonder dat Jonna het wil, rollen de tranen over haar wangen. Ze snuit haar neus in een stuk keukenpapier. Papa woelt door haar haren.

'Zullen we morgen gaan zwemmen?' vraagt hij. 'Als ik de hele nacht werk, kan ik vrij nemen.'

'Als je moet schrijven, vind je het vast niet erg als ik bij Milan slaap,' zegt Jonna snel.

'Dat is goed,' zegt papa. 'Maar loop eerst even naar La Perla om een pizza voor ons te kopen. Ik ben vergeten om eten te koken.'

Na het eten wassen ze samen af.

Dan gaat papa weer achter zijn computer zitten en Jonna maakt zich klaar om weg te gaan. Ze vlecht haar lange haar, want dat lijkt haar het handigst nu ze buiten gaat slapen. In haar rugzak stopt ze een tandenborstel en een nachthemd. Als je de boel in de maling neemt, moet je het goed doen.

'Tot morgen,' zegt ze en ze trekt de voordeur vlug achter zich dicht.

Ze heeft papa al eerder voor de gek gehouden. Toen ze dat zei over de honderd kronen die ze van de oude Frida voor haar verjaardag had gekregen, bijvoorbeeld. Jonna zei dat ze het geld verloren had, maar ze had er samen met Fanny en Milan chips en frisdrank voor gekocht.

En toen vergat Frida dat ze haar geld gegeven had, dus

kreeg Jonna nog een keer honderd kronen. Daarvoor kochten ze nog meer chips en frisdrank.

Het is gemeen om oude, verwarde mensen in de maling te nemen. Jonna zal het geld teruggeven zodra ze rijk is. Dat heeft ze zichzelf plechtig beloofd.

Ze gaat naar buiten, de avondzon in en rent naar Milans flat. Dan mindert ze vaart. Dat doet ze altijd als ze in de buurt komt, want Birger woont daar ook.

Als ze de deur van het trappenhuis opendoet, botst ze bijna tegen hem aan. Hoe krijgt ze het voor elkaar. 'Hoi,' piept ze, terwijl haar wangen vuurrood worden.

Birger staart naar haar alsof hij een ufo heeft gezien.

Dan ziet ze het. Op zijn grote hoofd heeft hij Milans felgroene pet. Als een erwt op een nijlpaard. Jonna lacht bijna hardop.

'Ga je naar je vriendje?' Birger grijnst pestend, zoals alleen hij dat kan.

Jonna geeft geen antwoord.

Dan mompelt hij: 'Ik moet mijn neef van de trein halen,' en hij dringt zich langs haar heen.

Geen woord over de schommels en de ontmoeting morgenochtend. Jonna wil hem iets naroepen. Bedankt dat je mijn leven verpest! Maar dat durft ze natuurlijk niet.

8

Stel je voor dat de bliksem inslaat

Milans moeder is al naar haar werk. Maar Milan heeft geen haast. Voordat ze naar het park vertrekken, wil hij een televisieprogramma over berggorilla's zien. Milan is gek op dieren.

Jonna kan zich niet concentreren. Ze zit op de bank en bijt op haar nagels, terwijl ze nadenkt over hoe het vannacht zal gaan.

Stel je bijvoorbeeld voor dat het gaat onweren. Wat doen ze dan? Als de bliksem inslaat, gaan ze misschien wel dood. En er kunnen enge kleine dieren met scherpe tanden komen die bijten als ze liggen te slapen. Ratten bijvoorbeeld. Kunnen ratten een ladder opklimmen? Het donker is eng. En spoken ook, zelfs als ze niet bestaan, maar dat is nooit echt bewezen. Frida gelooft er in ieder geval in. En zij is toch oud…

Met avonturen gaat het altijd zo. Eerst denk je alleen aan het spannende en leuke ervan. Dan, als het dichterbij komt, denk je aan wat er allemaal voor vreselijks kan gebeuren.

En het ergste van alles is dat Birger bij de schommels staat te wachten voordat de dauw verdwenen is. Stomme Birger. Jonna's maag knijpt samen. Hoe kunnen grote mensen dat allemaal verdragen? Hoe lossen die alle problemen op? Dat heeft niemand haar uitgelegd.

Als het televisieprogramma is afgelopen, pakt Milan zijn mondharmonica, drie dekens, twee kussens, een zak pinda's en een fles water. 'Ik ga naar de deur om te kijken of de kust veilig is,' zegt hij.

Intussen stopt Jonna de spullen in de dekens. Milan heeft niets in de gaten, denkt ze. Voor hem is het leven nog steeds een spel. En dat is een prettig gevoel.

Als hij terugkomt, pakken ze ieder een dekenrol onder hun arm en sluipen weg, als twee daklozen in de nacht.

9

Nacht zonder sterren

Met de dekens maken ze een slaapplaats. Twee dekens om op te liggen en een over hen heen. Het eten en drinken komt aan het voeteneind, de mondharmonica onder Milans kussen.

Het is nu flink donker. En fris. Jonna kruipt in elkaar, naast Milan onder de deken. Boven hun hoofd ruisen de bladeren van de esdoorn.

'Wat is het hier gezellig,' zegt ze, alhoewel het hard en hobbelig is om zonder matras te liggen. Op avontuur zijn is niet eenvoudig, dat begrijpt ze.

'We ontbijten bij de banketbakker,' zegt Milan. 'Ik heb geld bij me.'

'Warme chocolademelk en broodjes kaas,' knikt Jonna.

Milan draait zich om en gaat op zijn zij liggen, met zijn gezicht naar haar toe. 'Er is iets anders waar ik aan gedacht heb,' zegt hij. 'Zullen we samen een vriendschapskettinkje delen?'

Hij vertelt over het zilveren hartje dat hij bij de juwelier in de stad gezien heeft. Dat je in twee helften deelt met iemand die je graag mag en dat je aan een kettinkje om je hals draagt.

Jonna denkt even na. 'Is dat dan alleen maar iets voor vrienden?' vraagt ze. 'Geen ander gedoe?'

'Nee,' antwoordt Milan.

'Goed,' zegt Jonna. 'Anders is het stom.'

Ze liggen een poosje stil. Jonna voelt Milans ademhaling tegen haar wang. Plotseling legt hij zijn arm om haar middel. Ze blijft stokstijf liggen. Een paar minuten lang haalt ze bijna geen adem. Milan merkt waarschijnlijk dat ze het niet prettig vindt. Eindelijk haalt hij zijn arm weer weg.

'Is er echt niets speciaals gebeurd de afgelopen dagen?' vraagt hij.

Jonna wordt onrustig. Het lijkt wel alsof hij iets weet. Stel je voor dat Birger al verteld heeft over de brieven.

'Nee,' zegt ze beslist.

Dan begint ze snel over iets anders te praten. 'Er zijn geen sterren.' Jonna kijkt teleurgesteld omhoog naar de zwartgrijze hemel.

'De wolken zitten ervoor,' zegt Milan. Dan komt hij op zijn ene arm overeind. 'Jouw ogen zijn mijn sterren.'

Jonna begint te lachen. 'Je bent gek.'

Milan haalt zijn mondharmonica te voorschijn en speelt een treurig liedje.

Jonna doet haar ogen dicht. Ze volgt het geluid, over het

33

voetbalveld, langs de grindweg en dan naar de flat waar papa zit te schrijven. Als het maar niet tot aan Birgers grote oren komt.

Nee. Niet aan Birger denken nu alles zo fijn is.

Dan horen ze het grind op de weg knarsen. Ze gaan op hun buik liggen en kijken over de rand naar beneden. Ze houden hun adem in.

Er schijnt een gele lamp bij de bocht in het pad. In het donker lijkt het alsof het licht aan komt zweven. Het ziet er spookachtig uit. Jonna voelt gegiechel opborrelen. Dan ontspant ze zich. Het is maar een fietslamp. Er zit een dikke man op het zadel. Hij fietst snel voorbij zonder dat hij ze gezien heeft.

Lachend kruipen ze weer onder de deken.

Het is moeilijk om een prettige slaaphouding te vinden. Om de haverklap draait Jonna zich om op het harde dak.

Als grote mensen moeite hebben om in slaap te vallen, nemen ze een slaaptablet. Mama heeft een potje in de medicijnkast. Ze kan niet slapen als ze gespannen is. Veel grote mensen hebben daar last van. En daarna, als ze niet meer gespannen zijn, zijn ze oud en gerimpeld, net als Frida. En dan gaan ze dood.

Lijkt niet bepaald leuk.

Ik word in ieder geval rijk, denkt Jonna. Als ik toch groot moet worden, wil ik op z'n minst een eigen vliegtuig hebben en over de wereld reizen. Milan en ik kunnen naar Afrika gaan om zijn vader te bezoeken.

Ze legt haar hand op Milans arm. 'Wat doet je vader eigenlijk in Afrika?'

Maar Milan geeft geen antwoord. Hij slaapt.

Dan gaan haar gedachten naar Birger. Ik haat hem, denkt ze.

Zodra mama thuis is, vraag ik aan haar wat liefde eigenlijk is. Of je echt verliefd op iemand kunt zijn, zelfs als je dat niet wilt. Een volwassene zal dat wel weten.

10

Wat een lafaard

'Ben je wakker?' fluistert Milan.

Jonna doet haar ogen open. Nu weet ze het weer. Ze slapen op het dak van de fietsenstalling. Ze rilt en trekt de deken tot aan haar kin op.

'We hebben bezoek.' Milan wijst naar het winkeltje. Jonna gaat zitten en kijkt. Tussen de takken en bladeren zijn twee schimmen zichtbaar. De ene is Birger, die nog steeds Milans pet op heeft. De lange schim moet de neef zijn. Sigge is er ook. Hij rent rond en snuffelt.

'Ik laat hem zo schrikken, dat zijn broek ervan afzakt,' fluistert Milan.

Nee! Jonna wordt bang. Wat gaat Milan doen? Stel je voor dat Birger hen in de gaten krijgt!

Ze houdt haar adem in als Milan naar het voeteneind schuift en de zak met pinda's te voorschijn haalt. Geluidloos scheurt hij hem met zijn tanden open, pakt een handvol, richt en gooit naar de jongens op de grond.

'Wat was dat?' schreeuwt Birger.

Jonna durft bijna niet te kijken.

Milan smijt nog een handvol naar beneden.

Birger draait rond en zoekt in het donker. 'Iemand neemt ons in de maling,' roept hij en hij doet zijn zaklamp aan.

Jonna gaat plat op haar buik naast Milan liggen. Haar hart stopt bijna als de lichtbundel over het dak glijdt.

Plotseling begint Sigge wild en vrolijk te blaffen.

'Hij heeft ons geroken.' Jonna fluistert in Milans oor. Ze is bang dat haar hart zo hard slaat, dat Birger het beneden kan horen.

'Rustig nou. Sigge heeft alleen de rat maar gevonden,' fluistert Milan terug.

'Wat een geluk dat honden niet kunnen klimmen,' zegt Jonna amper hoorbaar.

'Wat een geluk dat Birger niet kan denken,' mompelt Milan.

Dan voelt Jonna een giechelbui opkomen. Ze moet op haar buik gaan liggen om niet in lachen uit te barsten. Milan begint ook, hij houdt zijn buik vast en stikt er bijna in.

In de bescherming van de duisternis gooit hij nog een handvol pinda's. En dan gebeurt het. Birger en zijn neef struikelen over hun voeten om weg te komen, met Sigge op hun hielen. Birger heeft zo'n haast, dat de pet afvalt.

Dan durft Jonna eindelijk te lachen, zo hard dat de tranen langs haar wangen stromen.

Milan fluit, terwijl hij de pet ophaalt en het vuil eraf borstelt. 'Wat een lafaard,' zegt hij.

Als Jonna zijn lachende blik ontmoet, begint het van binnen te kriebelen. Het voelt als de staart van een visje. 'Dat heb je goed gedaan.'

'Wil je een welterustenkus hebben?' vraagt Milan.

'Nee, dank je.' Haar handen gaan bliksemsnel naar haar mond.

'Dan niet.' Milan draait zich om.

Misschien hadden we het wel moeten doen, denkt Jonna. Met Milan zou het niet zo erg geweest zijn. Om het uit te proberen dan.

11

Thuis slapen

De volgende keer dat Jonna wakker wordt, is het helemaal licht. De vogels maken lawaai. Haar lichaam voelt geradbraakt. Ze rilt van de kou. Haar rug doet pijn en alles is nat. De dekens, de kussens, hun kleding. Alles. Ze geeft Milan een duw.

'Wat is er?' mompelt hij.

'Het regent,' zegt Jonna. 'We moeten naar huis, anders worden we ziek.'

Milan draait zich op zijn andere zij zonder antwoord te geven.

'Ik ben in ieder geval niet van plan om hier te blijven.' Jonna komt vastbesloten overeind.

'We gaan nog ontbijten bij de banketbakker,' mompelt Milan.

Als ze de ladder af gaat, kijkt Milan over de rand naar haar. 'We moeten in ieder geval samen de spullen naar huis brengen,' zegt hij.

39

Daar heeft Jonna geen zin in. Die spullen kunnen ze later wel halen. Het zal toch niet zo belangrijk zijn, dat ze het op dit moment mee moeten nemen, net nu ze bijna bevroren is en haar lichaam overal pijn doet.

'Chagrijnig mormel!' schreeuwt Milan als ze wegloopt.

Jonna trekt zich er niets van aan.

Als ze langs de schommels loopt, denkt ze weer aan Birger en zijn brief. Ze kijkt verschrikt om zich heen. Maar er is niemand.

Het zal zo fijn zijn om die natte kleren uit te trekken, weer warm te worden en in haar eigen lekkere bed te slapen. Maar naar huis kan ze niet. Dan komt papa het te weten. Plotseling lijkt alles hopeloos. Totdat ze een idee krijgt.

12

Het allerbeste medicijn ter wereld

Jonna belt minstens tien keer aan voordat de deur op een kier opengaat en Frida's gerimpelde hoofd zichtbaar wordt. Als Frida ziet wie het is, doet ze de deur wagenwijd open.

'Liefje. Is er iets gebeurd?'

'Ik heb het koud,' zegt Jonna.

'Is er brand?' Frida spert haar lieve kraalogen wijdopen.

Jonna schudt haar hoofd.

'Kom binnen,' zegt Frida. 'Ik zal mijn gehoorapparaat indoen.'

Jonna laat zich op een keukenstoel vallen. En met klapperende tanden vertelt ze over het nachtelijke avontuur. Het hele droevige verhaal. Over Milan en de nacht op het dak van de fietsenstalling en de ochtend die ermee eindigde dat ze boos op elkaar werden.

Frida maakt snel een lekker voetenbad klaar. En terwijl Jonna zit te ontdooien, maakt Frida het allerbeste medicijn ter wereld: warme chocolademelk met slagroom.

'Wat maken jullie een problemen,' vindt Frida. 'Het is eigenlijk jammer. Ik zal tot God bidden dat jullie het weer goedmaken.'

Ze haalt een nachthemd uit een la. Hij is gebloemd en zacht en ruikt naar kamfer.

Jonna trekt hem snel aan en gaat onder een pluizige deken op de bank liggen. Voordat ze het weet, slaapt ze.

Als ze wakker wordt, ligt ze met haar hoofd tegen Frida's harde knieën. Frida zingt over Jezus. Jonna kijkt recht in haar neusgaten. Er groeien lange haren in, die vrolijk heen en weer wiebelen.

Plotseling lijkt Frida zo klein en dun. Jonna heeft gehoord dat oude mensen kleiner worden. Zo is het ook, denkt ze. Ik ben groot geworden en Frida is gekrompen.

'Beloof je dat je het niet tegen papa zult zeggen?' vraagt ze aan Frida.

'Ik moet het wel vertellen,' zegt Frida en ze legt een vinger op het dikke zwarte boek dat op de salontafel ligt. 'In de bijbel staat helder en duidelijk dat je geen valse getuigenis mag afleggen.' En als Frida die stem opzet, heeft het geen zin om te proberen haar op andere gedachten te brengen.

Papa heeft een diepe rimpel in zijn voorhoofd. 'Het is mijn schuld,' zegt hij en hij aait Jonna over haar haren. 'Ik werk te veel.'

'Zalig zijn de zachtmoedigen,' zegt Frida en ze knikt.

'Vandaag gaan we zwemmen, dat heb ik beloofd.' Papa geeft Jonna een enorme knuffel. 'Ik moet alleen dit hoofdstuk nog afmaken.'

Maar Jonna heeft geen zin. Ze heeft hoofdpijn. Ze doet haar kamerdeur dicht, gaat met een tijdschrift op bed liggen en bijt op haar nagels.

Als papa even later met een dienblad binnenkomt, doet ze alsof ze slaapt. Voorzichtig zet hij het blad op het nachtkastje en sluipt weer weg.

Jonna eet met lange tanden een piepklein stukje pizza en drinkt een glas melk. Ze denkt erover om minstens een week in bed te blijven. In ieder geval tot Milan opbelt om te zeggen dat het hem spijt

43

13

Scheldwoorden in je hoofd

Tegen de avond begint het te onweren. Het rommelt in de verte. Aan de andere kant van het raam is de hemel asgrauw. De wind raast door de boomtoppen. Dan breekt het noodweer echt los boven het flatgebouw. Een bliksemflits verlicht de kamer en op hetzelfde moment begint de regen tegen de ruiten te trommelen.

Een tijdlang is het helemaal stil. Dan klinkt de deurbel door de flat. Papa's pantoffels schuifelen over de vloer. Vlak daarna komt zijn hoofd om de deur en zegt hij tegen Jonna dat er bezoek is.

Aha, denkt Jonna. Milan is er. Om te zeggen dat het hem spijt. 'Laat hem maar binnen,' zegt ze triomfantelijk.

Maar het is Milan niet. Het is Birger die over de drempel stapt.

Nee! De kamer begint te draaien. Ze weet zeker dat ze gaat flauwvallen.

Birger kijkt nieuwsgierig om zich heen en geeft haar een

gele gratis lolly van de pizzeria.

De prop in Jonna's keel verdwijnt. 'Ik haat gele lollies.' Ze kijkt hem strak in zijn ogen. 'Net zoveel als ik jou haat.'

De woorden rollen gewoon naar buiten.

Birger grijnst goedmoedig. En dan ziet ze voor de eerste keer zijn kuiltjes. Een in iedere wang. 'Je vriendje zegt dat je een chagrijnig mormel bent,' zegt hij spottend. 'Het lijkt erop dat hij gelijk heeft.'

Jonna gelooft haar oren niet. Heeft Milan echt met Birger over haar gepraat?

Op dat moment voelt ze iets in haar binnenste dat ze nog niet eerder gevoeld heeft. Alsof je op een scherpe steen trapt als je op blote voeten loopt. Dan gil je hard en komen er allemaal scheldwoorden in je hoofd op.

Jonna vindt dat Milan een slechte vriend is als hij achter haar rug om over haar praat. Dat betekent dat hij niets waard is.

Dan vergeet ze dat Birger de afschuwelijkste jongen van de school is. Alhoewel ze dat niet zou moeten doen. 'Mag ik met je mee?' vraagt ze.

'Jawel,' zegt Birger. 'Pak je laarzen, dan gaan we. Mijn neef wacht buiten met Sigge.'

45

Laat me los!

Ze lopen de heuvel op en aan de andere kant weer naar beneden, naar het water van de Malaren. Ze gaan op een houten bank zitten en kijken over het water uit.

De wereld is opgefrist na de regen. Sigge rent rond en snuffelt overal aan. Het water klotst tegen de stenen en verlichte boten glijden vredig in de schemering voorbij.

Sigge duwt zijn lijf tegen Jonna en zwaait blij met zijn staart.

'Hij vindt je aardig,' zegt Birger.

'Ik ken een grote, zwarte hond,' vertelt de neef. 'Een kwaaie, gemene duivel. Op een keer probeerde hij me in mijn handen te bijten, maar ik staarde hem net zolang in zijn ogen totdat hij om genade jankte.'

Jonna zit op hete kolen, vastgeklemd tussen Birger en de neef.

Waarom is ze meegegaan? Nu heeft ze er spijt van. De neef zegt rare dingen.

46

Birger springt op en pakt haar bij haar middel.

'Wil je zwemmen?' roept hij.

Hij trekt haar van de bank. Houdt haar stevig om haar middel vast en sleurt haar mee naar de waterkant. Daar zwaait hij haar in het rond.

'Stop!' Jonna begint bijna te huilen. Ze bonkt met haar vuisten op zijn rug. 'Laat me los!'

De neef lacht bulderend. Maar uiteindelijk haalt hij zijn lange benen uit de knoop en gaat naast Birger staan.

'Laat haar met rust,' zegt hij.

Birger laat los en Jonna valt plotseling op de grond.

De neef steekt een sigaret op en blaast een grote rookwolk uit. 'Dus jij gaat met die donkere jongen om,' zegt hij. 'Degene die ons voor de gek hield in het park.'

'Ik begrijp het niet,' zegt Birger. 'Een zwartbek!'

Nu is Jonna bang. Ze voelt zich zo vreselijk klein. Helemaal alleen met die twee idioten. Snel komt ze overeind en rent weg, zo snel als ze kan.

Pas als ze de deur van de flat achter zich dichtdoet, durft ze uit te ademen.

'Is er iets gebeurd?' vraagt papa.

Jonna schudt haar hoofd. Papa begrijpt er toch niets van.

Als hij naar zijn computer verdwijnt, toetst Jonna Milans nummer in. De telefoon gaat vijf keer over, dan begint het antwoordapparaat. Jonna legt de hoorn neer.

Vreemd.

Waar kan hij zo laat nog zijn?

Vandaag was de ergste dag van mijn hele leven. B.
lokte me mee voor een wandeling. Hij probeerde me
te verdrinken. En zijn neef probeerde me te
vergiftigen met sigarettenrook. Ik dacht dat ik
dood zou gaan. Maar gelukkig kon ik ontsnappen.
Ik wou dat M. er was. Als hij mee was gegaan, was
er niets gebeurd. Want hij is mijn beste vriend. En
ik wil zo graag dat hij mijn stille aanbidder is.

15

Het meisje met de gele strik

Jonna staat te wachten totdat de pizza's klaar zijn. Ze staat op de stoep voor de pizzeria. Dan ziet ze een bekend iemand aan de andere kant van de Groendalseweg.

Milan!

Hij heeft zijn felgroene pet op zijn hoofd. Naast hem loopt een meisje met een mooie geelgeruite rok. Ze is net zo groot als hij. Ze heeft haar lange, donkere haar in een paardenstaart, met een gele strik.

Jonna krijgt het ijskoud, ondanks dat de zon schijnt. Milan en het meisje praten en lachen. Milan is toch haar vriend?

Jonna probeert hen in te halen. 'Milan!' roept ze zo hard, dat het in heel Groendal weergalmt. Maar hij hoort het niet.

Jonna krijgt zo'n haast, dat ze struikelt en op haar knieën op het asfalt valt. Een man die net op dat moment uit bus 133 stapt, vraagt vriendelijk of ze zich pijn heeft gedaan.

Jonna heeft geen tijd om te blijven staan en het uit te leggen. Ze hinkt verder.

Eindelijk heeft ze hen ingehaald, vlak bij de verffabriek. Ze geeft Milan een duw in zijn rug. 'Hoi.'

Het klinkt een beetje te opgewekt.

En het is niet de oude vriendelijke Milan die zijn hoofd omdraait en boos naar haar kijkt.

'Wie is dat?' Jonna knikt naar het meisje met de gele strik.

'Isminni,' zegt hij kort. 'Een meisje uit Griekenland.' Plotseling lacht hij spottend en zegt een paar woorden in een buitenlandse taal.

Het meisje met de gele strik lacht en geeft in dezelfde taal antwoord.

Jonna begrijpt er niets van. Ze wist niet dat Milan Grieks kon praten. 'Wanneer is ze hier gekomen?' vraagt ze.

'Een paar dagen geleden. Ze blijft de hele zomer,' antwoordt Milan met een grijns.

'Zijn jullie familie of zo?' vraagt Jonna.

'Nee,' zegt hij. 'We vinden elkaar gewoon aardig.'

Jonna wordt er stil van.

Milan zegt weer een paar woorden in het Grieks en Isminni en hij beginnen te schaterlachen en staren Jonna brutaal aan.

Plotseling voelt Jonna zich ziek. En dan herinnert ze zich de pizza's. Die zijn vast klaar. De pizzajongen zal zich wel afvragen waar ze gebleven is.

50

'Tot ziens,' stamelt ze en ze kijkt naar het asfalt om Isminni's blik te ontwijken.

'Doe Birger de groeten,' zegt Milan.

Jonna loopt weg. Als ze een eindje verder is, draait ze zich om en kijkt ze na. Isminni draait zich tegelijkertijd om en steekt haar tong uit. Jonna's keel trekt samen. Ze voelt zich helemaal leeg, als een zeepbel die plotseling uit elkaar barst.

16

Wat een bulten!

Thuis in de badkamer doet Jonna pleisters op haar knieen. Dan bestudeert ze zichzelf in de spiegel. Een hele tijd. Van alle kanten. Ze borstelt het steile haar dat over haar schouders valt. Haar wangen hebben sproeten door de zon, de helderblauwe ogen staan verdrietig en haar mond is een dunne streep.

Ze ziet er anders uit. Er is iets in haar blik wat ze niet herkent. Ze weet niet precies wat het is, alleen maar dat het er eerst niet was.

Zo zie je er dus uit als je groot bent, denkt ze. Als je begrijpt hoe wreed het leven is.

Jonna weet dat ze best knap is. Maar Isminni is knapper. En er is niets wat ze daaraan kan doen.

Papa zit achter zijn computer.

Jonna sluipt naar de slaapkamer van papa en mama. Ze trekt de la van mama's kast open en zoekt tussen het ondergoed. Snel verstopt ze iets onder haar shirt, schuift de la dicht en loopt zachtjes terug naar de badkamer.

Daar trekt ze haar shirt uit en maakt mama's bh om haar borstkas vast. Hij is een beetje te groot, maar het is een mooie, met roze kant. Jonna haalt een paar niet al te vieze sokken uit de wasmand. Ze propt ze in de cups. Daarna trekt ze haar shirt weer aan. Ze gaat zo voor de spiegel staan, dat ze zichzelf van opzij ziet.

Mijn hemel! Wat een bulten! Ziet het er zo uit? Jonna's wangen gloeien. Ze giechelt in zichzelf. Nu zou Milan haar eens moeten zien. Dan zou hij ook lachen.

Maar wat doet het ertoe. En waarom zou hij haar moeten zien? Hij heeft een nieuwe vriendin om mee te lachen.

DONDERDAG 15 JUNI

Gisteren schreef ik dat het de ergste dag van mijn hele leven was. Maar toen wist ik nog niet dat het vandaag nog erger zou worden. Want M. heeft een meisje uit Griekenland ontmoet. Ze kan niet eens Zweeds praten. En ik ben er zeker van dat hij een vriendschapskettinkje voor haar wil kopen. Maar hij heeft het mij het eerst beloofd. Wat een afschuwelijke zomer. En ik heb niemand om mee te praten. Papa schrijft alleen maar en mama is nog steeds in Parijs. Gelukkig heb ik een dagboek.

Op onderzoek

Het is schoonmaakdag. Papa jaagt op stofvlokken en Jonna maakt de badkamer schoon.

Intussen piekert ze over Isminni. Hoe hebben zij en Milan elkaar eigenlijk leren kennen? En wie heeft hem verdorie Grieks geleerd? Er is in ieder geval heel veel wat Milan haar niet verteld heeft.

Jonna spuit schuurmiddel in het toilet en schrobt zo hard dat het spat. Daarna spuit ze ruitenreiniger op de spiegel en wrijft hem met een doek schoon.

Ze moeten toch beste vrienden voorstellen, en dan heeft Milan een heleboel geheimen. Leuk is dat!

Terwijl ze het bad met een spons schoonmaakt, bedenkt ze een plan. Ze moet iets terugdoen. Iets om hem jaloers te maken. Dan kan hij voelen hoe dat is. Ze moet hem over de brieven vertellen. Dan wordt hij boos. Net goed.

Jonna voelt een merkwaardige blijdschap door haar maag trekken. Niet licht en zeepbelachtig, maar bitter en

54

scherp, zoals verbrande gehaktballetjes.

'Een boeket bloemen op tafel zou het puntje op de i zijn,' vindt papa als ze in alle hoeken en gaten hebben gepoetst en gezogen en de hele flat glimt en blinkt.

'Die haal ik wel.' Jonna trekt meteen haar gympen aan.

'Koop ook maar iets lekkers voor bij de koffie,' zegt papa. 'Dat hebben we wel verdiend.'

Jonna krijgt vijftig kronen.

Op het grasveld bij de metro groeien fluitenkruid, rode klaver en boterbloemen. De zon schittert in het water en de hemel is lichtblauw.

Jonna plukt een mooi boeket. Daarna gaat ze op weg naar de banketbakker. Maar dan ziet ze Milan en Isminni aan komen lopen!

Zonder te aarzelen gooit ze zichzelf op de grond. Ze verstopt zich tussen de takken van de grote wilde rozenstruik die midden op het grasveld groeit. De doornen schrammen haar armen en benen.

Ze zijn vlakbij, ze hoort hoe ze lachen.

Jonna kijkt tussen de takken door. Daar zijn hun schoenen. Nu zijn ze bijna voorbij.

Ze laat haar adem ontsnappen. Dan begint het gevaarlijk in haar neus te kriebelen. Dat is vast het stuifmeel van de rozen. Ze knijpt haar neus dicht, maar dat helpt niet. Een echte dondernies begint bij haar tenen, rolt door haar lichaam en ontploft met een enorme kracht in haar neus.

'Hatsjoeoeoeoeoe!'

Verstijfd van angst wacht ze. Er gebeurt niets. Uiteindelijk waagt ze het erop om weer achter de struik vandaan te kruipen. Milan en Isminni hebben niets gemerkt. Ze zijn al bijna bij het metrostation.

Dan krijgt ze een idee.

Jonna sluipt achter hen aan. Ze verstopt zich bij de trap. Milan en Isminni gaan met de metro.

Oei. Wat moet ze nu doen? Jonna mag niet alleen met de metro. Maar vandaag is een uitzondering. Ze rent naar het loket en haalt het biljet van vijftig kronen te voorschijn. 'Naar het centrum,' zegt ze.

Het duurt even voordat de beambte achter het loket drie zones heeft afgestempeld en het wisselgeld heeft teruggegeven, maar ze haalt het.

Milan en Isminni staan nog steeds op het perron. Een heel eind weg.

Jonna verstopt zich achter een pilaar, een beetje uit hun buurt. Haar handpalmen zijn zweterig en haar maag knijpt samen. Als de metro komt, glipt ze in de wagon achter die van hen. Ze staat bij de deuren op de uitkijk.

Bij het volgende station stappen ze niet uit. Bij het daaropvolgende ook niet. Ze gaan helemaal naar het Centraal Station. Jonna volgt ze op voldoende afstand.

Ze hebben het leuk met elkaar en zien haar niet. Jonna wordt moediger, op de roltrap staat ze maar een paar passen achter hen.

Waar gaan ze eigenlijk naartoe? Stel je voor dat ze naar

de juwelier gaan om een vriendschapskettinkje te kopen. Jonna hoopt dat dat niet zo is. Het is zo verdrietig dat Milan haar niet aardig meer vindt. Alhoewel ze boos op hem is, wil ze niets liever dan dat ze weer vrienden zijn. Zoals vroeger.

Het Centraal Station is een drukke plek. Mensen rennen heen en weer. Voor de glazen deuren staat een groep mannen. Hun haar zit in de war en ze hebben schorre stemmen. Een van hen komt naar haar toe. 'Heb je een paar kronen om vannacht ergens te kunnen slapen?' vraagt hij.

Jonna wordt bang. Hij kijkt zo raar uit zijn ogen. Ze voelt in haar zak.

'Dank je wel,' zegt hij en hij loopt verder.

Waar zijn Milan en Isminni nu naartoe?

Jonna haast zich naar buiten, naar het plein. Maar ze zijn weg. Opgeslokt door de mensenmassa.

Voor het cultureel centrum zijn een paar jongens aan het inline-skaten. Ze zijn hartstikke goed. Ze rijden zigzag en maken hoge sprongen.

Een zongebruinde dame met een zomerhoed kijkt naar Jonna. 'Ben je alleen?'

'Hm,' zegt Jonna.

'Waar is je moeder dan?' vraagt de dame.

'Ze is in Parijs,' antwoordt Jonna.

'Arm kind.' De dame doet haar handtas open en haalt een briefje van twintig kronen te voorschijn. 'Hier. Koop maar een ijsje.'

'Dank u wel,' zegt Jonna en ze gaat terug naar de metro.

Ze hoeft geen nieuw kaartje te kopen, het oude is nog geldig.

Drie tienermeisjes zitten op de zitplaatsen naast haar. Ze kammen hun haar en kauwen op kauwgom.

'Je had zijn gezicht moeten zien,' zegt een van de meisjes en ze trekt een grappige grimas.

De anderen giechelen zo, dat ze bijna op de vloer rollen.

Jonna begint vanzelf mee te doen.

Dat hebben de meisjes in de gaten. Ze kijken naar haar met hun zwartomlijnde ogen.

Jonna gaat snel naar buiten. Ze stapt in de volgende wagon.

Eindelijk komt de metro bij station Liljeholmen aan. De meisjes blijven zitten, dat ziet Jonna als de metro voorbijrijdt. Maar ze zijn haar vergeten, ze kijken niet.

Het boeket bloemen ligt niet meer bij de rozenstruik. Wat gek.

Ze koopt vier koffiebroodjes bij de banketbakker, en toch heeft ze nog geld over.

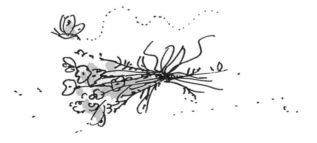

18

Papa snapt er niets van

Zelfs papa heeft genoeg van pizza. Hij heeft de tafel in de huiskamer gedekt met witte servetten en zelf gekookt. Biefstuk met gebakken uien en kant-en-klare saus. 'Lekker,' zegt hij en hij kauwt lang op het taaie vlees. Jonna spuugt voorzichtig een paar stukjes vlees in haar servet.

Papa heeft het in ieder geval geprobeerd. Morgen kunnen ze weer pizza eten. En het toetje is oké, chocoladekoekjes en cola.

Daarna maken ze er een gezellige avond van. Papa heeft een oude film gehuurd. Hij gaat over een grappige man met een hoed en een stok die zijn schoenen opeet. Die zijn minstens zo taai als de biefstuk.

Papa vindt het hartstikke grappig. Maar Jonna is stil en bijt op haar nagels.

'Heb je nog steeds honger?' vraagt papa.

Jonna stopt met op haar nagels bijten en vouwt haar

handen tussen haar knieën. 'Nee.'

'Vind je de film niet leuk?' gaat papa verder.

'Jawel,' zegt Jonna en ze zucht. 'Maar er is iets gebeurd.'

Ze kan het niet langer voor zich houden.

'Milan wil geen vrienden meer met me zijn.' En dan stromen de tranen over Jonna's wangen.

Papa aait haar over haar haren en mompelt: 'Nou nou, nou nou.' Alsof ze een baby is. Dat is fijn. En uiteindelijk houdt het huilen op. Jonna gaat overeind zitten.

'Milan heeft een nieuw vriendinnetje, ze heet Isminni.'

'Is er niemand anders met wie je om kunt gaan?' vraagt papa, die er niets van snapt. 'Die jongen met die hond, bijvoorbeeld?'

Jonna wordt zo boos, dat ze naar haar kamer rent en de deur zo hard dichtslaat, dat de ramen ervan trillen.

VRIJDAG 16 JUNI
Papa is de allerstomste van de hele wereld!!!

60

19

Van de tienmeterplank springen

Het is de warmste dag van de afgelopen honderd jaar. Papa luistert naar het nieuws op de radio. Hij stopt broodjes en hun zwemkleding in een mand. 'Vandaag kan ik niet werken,' zegt hij geïrriteerd. 'Mijn hersencellen smelten in deze hitte.'

Ze rijden met de auto naar het strand.

Het strand is overvol met mensen met grappige hoeden en een vuurrode huid.

Jonna kijkt zoekend om zich heen. Daar zijn ze! Milan draagt een groene zwembroek. Isminni heeft een hartstikke mooie citroengele bikini aan. Ze staan in de rij voor de ijskraam.

'Ik ga het water in,' zegt ze.

'Doe voorzichtig.' Papa gaapt zo hard, dat zijn kaken ervan knakken en legt een krant over zijn gezicht.

Jonna waadt door het water. De kou kruipt langzaam omhoog naar haar buik. Dan laat ze zich snel vallen en zwemt naar de duiktoren. Vandaag gaat ze iets doen waardoor ze zich sterk en moedig zal voelen.

Jonna klimt omhoog naar de tienmeterplank. Het is de eerste keer. Ze gaat op het puntje van de plank staan en veert voorzichtig op en neer. Help, wat hoog. Haar maag draait om.

Er staan een paar mensen achter haar op hun beurt te wachten. Ze zeuren dat ze moet opschieten en nu eens moet springen. Milan en Isminni staan aan hun ijsje te likken. Ze kijken naar haar.

Nu zal iedereen opkijken!

Jonna knijpt haar neus met haar ene hand dicht, zuigt haar longen vol lucht en springt met gestrekte benen in de lucht. Iiiii. Wat een heerlijk gevoel in haar maag. Met een plons schiet ze door het wateroppervlak. Luchtbellen bruisen om haar heen. Ze komt weer boven.

'Hallo!' Birger roept vanaf de brug. De neef staat ook te zwaaien.

Nee. Niet die idioten weer. Jonna wil het liefst naar de bodem zakken om zich daar te verstoppen. Maar Birger is al in het water gesprongen en komt naast haar boven.

'Zwem je?' vraagt hij dom.

'Nee,' zegt Jonna. 'Dat lijkt alleen maar zo.'

Birger grijnst. 'Sorry,' zegt hij dan. 'Ik was niet zo aardig.'

'Wanneer dan?' vraagt Jonna. 'Toen je Milan een zwartbek noemde of toen je mij wilde verdrinken?'

'Alle twee,' zegt Birger en ze ziet zijn lachrimpeltjes.

Jonna is nog nooit zo dicht bij hem geweest. Hij heeft mee-eters op zijn neus. Zijn haar zit als een muts op zijn hoofd geplakt. Zijn ogen vragen om vergiffenis.

'Oké,' zegt ze.

'Wil je een ijsje?' vraagt Birger.

'Oké,' zegt Jonna weer. Maar alleen om Milan jaloers te maken.

Birger koopt twee hoorntjes met elk drie bolletjes ijs: chocolade, vanille en pistache. Ze zitten stil naast elkaar op Jonna's handdoek. Milan is nergens te zien. Jammer.

'Waar is Sigge?' vraagt Jonna.

'Thuis bij mijn moeder,' zegt Birger.

ZATERDAG 17 JUNI

Jongens zijn raar. B. bijvoorbeeld laat niet merken dat hij mij liefdesbrieven schrijft. Maar ik weet dat hij het is. Toch heb ik er niets van gezegd. Nog niet. Maar op een dag ga ik hem ervoor op zijn kop geven. Dan zal ik hem vertellen dat hij mijn leven verpest heeft. Want het is zijn schuld dat M. en ik niet meer met elkaar praten. M. kijkt niet meer naar me om. Mijn hart huilt.

63

20

Gedroogde varkensoren

De volgende ochtend ligt er weer een witte envelop op de deurmat. Jonna moffelt hem in de zak van haar badjas.

Papa drinkt zijn ochtendkoffie in de keuken.

'Ik ga Frida vandaag helpen,' vertelt ze. 'De thuiszorg heeft vakantie.'

'Doe de groeten aan dat verwarde mensje,' zegt papa.

Zodra hij in zijn werkkamer verdwenen is, scheurt Jonna de envelop open en leest het briefje dat erin zit.

Hallo chagrijnig mormel.
Hier heb je een snoepje.
Misschien zien we elkaar nog eens.

Geen hartje.

Als ze de envelop omdraait, valt er een zuurtje op de keukentafel.

Wat een stomkop.

Waar is Birger eigenlijk mee bezig? Eerst zegt hij sorry en koopt ijs voor haar en dan dit?

Ze zoekt zijn telefoonnummer op in de schoolgids.

Nadat de telefoon drie keer is overgaan, neemt Birgers moeder op. Ze vertelt dat Birger en zijn neef buiten rondhangen en als Jonna hem tegenkomt, kan ze hem vertellen dat het eten om twaalf uur op tafel staat.

Jonna trekt haar gympen aan, ze zal hem vinden. Maar niet om te vertellen hoe laat ze moeten eten. Ze is woedend. Nu heeft Birger echt een pak op zijn donder verdiend. En dat zal hij krijgen ook, zelfs als Sigge haar probeert te bijten. Op dit moment kan het haar niets schelen.

Als ze op de liftknop drukt, doet Frida de deur open.

Juist ja, dat was ze vergeten. Birger zal ze later onder handen moeten nemen.

Ze drinken warme chocolademelk met slagroom. Frida trekt zich er niets van aan dat het buiten snikheet is. Ze maakt zich bijna nooit druk om wat er buiten de flat gebeurt. Ze is altijd binnen. Vreemd. Oude mensen zijn anders.

Jonna wast Frida's dikke nylonkousen in de wasbak en hangt ze over de radiator. Ze geeft alle planten op het balkon water en veegt de gang.

'De wonderen zijn de wereld nog niet uit. Wat ben jij handig,' zegt Frida. 'Je zult een goede huisvrouw worden.'

'Ik ga nooit trouwen,' zegt Jonna heel beslist.

'Jawel, je bent toch met Milan?' grinnikt Frida.

Jonna doet alsof ze het niet hoort.

'De liefde is het wonderlijkste wat er is,' gaat Frida verder, terwijl ze op een keukenkrukje gaat zitten.

'Waarom dan?' vraagt Jonna.

'Ik herinner me er niet zoveel van,' zegt Frida. 'Maar ik weet nog wel dat je af en toe heel stom deed tegen degene waar je veel van hield. Dat is toch wonderlijk...'

Zou Milan zo gemeen doen omdat hij van haar houdt? Jammer dan. Daar trapt Jonna niet in. Het is het stomste dat ze in haar hele leven gehoord heeft.

'Wil je alsjeblieft suiker voor me kopen?' vraagt Frida.

Jonna neemt Frida's portemonnee mee en gaat naar de winkel.

Onderweg bedenkt ze wat de beste manier is om Sigge om te kopen, zodat hij niet bijt. Want ze gaat Birger binnenkort op zijn donder geven.

Als Jonna bij de plank met hondenkluiven en gedroogde varkensoren staat te kijken, prikt er iemand in haar rug. Jonna draait zich om.

'Hoi.' Daar staat Isminni. Ze lacht breed en laat al haar spierwitte tanden zien. Als een verraderlijke krokodil.

'Praat je Zweeds?' vraagt Jonna.

'Dat was toch hartstikke grappig, toen Milan en ik Grieks praatten,' lacht Isminni. 'Mijn ouders komen uit Griekenland, dus ik kan Grieks. Maar Milan deed net alsof. Hij zei maar wat.'

'Zo,' zegt Jonna.

'Wat ben jij dapper,' gaat Isminni verder. 'Ik zou nooit van de tienmeterplank durven te springen.'

'Ach, dat was niets.' Jonna gooit haar hoofd in haar nek.

'O, en sorry dat ik mijn tong uitstak,' zegt Isminni.

'Oké.'

'Wil je met mij mee naar huis?' vraagt Isminni. 'Ik ben in het huis bij de jachthaven komen wonen.'

Dan wint Jonna's nieuwsgierigheid het. Maar eerst brengt ze de suiker naar Frida.

Isminni heeft een eigen sleutel. De hele flat staat vol kartonnen dozen.

'We zijn al twee weken aan het uitpakken,' zegt ze.

Haar kamer is een grote bende. Maar op de vensterbank staat een mooie bos bloemen, precies zo een als Jonna geplukt heeft. Boterbloemen, rode klaver en fluitenkruid.

'Die heb ik van een jongen gekregen,' vertelt Isminni en ze giechelt zo, dat ze bijna niet op haar benen kan blijven staan.

Ik heb nog nooit bloemen van Milan gekregen, denkt Jonna boos.

Isminni schenkt perensap in. De keukentafel en alle stoelen staan vol schalen en pannen. Ze gaan op de grond zitten, met hun rug tegen de keukenkastjes.

'Je vindt het sap misschien niet lekker,' zegt Isminni. 'Het is suikervrij omdat ik diabetes heb.' Dan giechelt ze zo, dat ze sap uit haar glas morst.

Jonna kijkt stiekem naar haar. Isminni heeft grote bruine reeënogen. Het zwarte haar golft over haar rug en de gele strik staat mooi.

'Mama en papa zijn naar Ikea,' vertelt ze. 'Ik krijg een hemelbed.'

'Het is saai om naar een winkel te gaan,' vindt Jonna.

Isminni knikt en giechelt.

Jonna vraagt zich af wat er eigenlijk zo grappig is. Zelf zit ze erover na te denken of ze die hele serieuze vraag die in haar hoofd zit, durft te stellen. Ze schraapt haar keel een paar keer. Ze kan het er net zo goed maar uit gooien.

'Vind jij Milan leuk?'

'Er zijn leukere jongens,' antwoordt Isminni raadselachtig. Dan giechelt ze weer.

Milan is wél leuk, denkt Jonna boos. Hij is de leukste jongen die ze kent. Tenminste, dat was voordat ze op het dak van de fietsenstalling hebben geslapen.

Toch is ze tevreden met het antwoord. Ze drinkt haar sap op, alhoewel het alleen maar naar zuur water smaakt, en zegt dat ze iets anders te doen heeft.

'Ik wil niet dat je weggaat,' zegt Isminni en ze gaat voor de buitendeur staan.

'We kunnen elkaar een andere keer zien,' belooft Jonna. Maar ze meent het niet, ze liegt, zodat Isminni opzij gaat.

ZONDAG 18 JUNI

I. is stom en hartstikke gek. Daar ben ik achter

gekomen. Het is haar schuld dat M. ook stom is
geworden. Hij zou zich nooit zo kinderachtig
gedragen hebben als het niet voor I. was geweest.
Het voelt goed en tegelijkertijd verdrietig. Het is
goed dat ze hartstikke gek is, want dan krijgt M.
misschien genoeg van haar. Maar het is verdrietig
dat hij haar gekozen heeft in plaats van mij.
Getver, wat is het tegenwoordig allemaal moeilijk.
Wat is belangrijker: B. een pak slaag geven of
bevriend zijn met M.?

21

Jonna's brief

De telefoon gaat als Jonna de hal binnenkomt.

'Ik neem hem wel,' roept ze.

En dan hoort ze dat stomme joch naar wie ze op zoek zou gaan: 'Wil je mee Sigge uitlaten?'

Jonna wordt meteen achterdochtig. Ze kan Birger niet vertrouwen, dat weet ze. Trouwens, ze is vergeten om varkensoren voor Sigge te kopen.

'Ik wil je iets vragen,' zegt Birger.

'Ik heb geen tijd.' Jonna legt de hoorn neer. Dan toetst ze Milans nummer in. Maar zoals gewoonlijk neemt hij niet op.

Jonna denkt lang na. Ze schrijft en gumt, kijkt in papa's woordenboek, maakt proppen van het papier en begint opnieuw. En plotseling weet ze het:

Beste Milan Leye,
Wij zijn te weten gekomen dat u denkt dat u Grieks

praat. Dat klopt niet. U moet onmiddellijk op de cursus Griekse conversatie verschijnen, op 20 juni om 18.00 uur. Anders maakt u uzelf belachelijk.

Hoogachtend,
DE GRIEKSE CONVERSATIECLUB

Ze vouwt de brief op en stopt hem in een envelop, schrijft Milans naam op de voorkant en gaat op weg. Ze kijkt speurend rond en sluipt als een indiaan, om Birger niet tegen te komen.

Als de envelop aan de andere kant van de deur op de mat ploft, voelt ze zich van binnen heel licht. Alles zal gauw weer gewoon zijn. Dat wenst ze met haar hele lichaam, van haar teennagels tot aan haar oorlelletjes.

MAANDAG 19 JUNI
Vandaag ben ik ergens achter gekomen. Ik moet vechten! Als je iets wilt, dan moet je niet opgeven. Die I. zal wat beleven.

Wat ruikt dat lekker! Alhoewel Jonna bijna slaapt, herkent ze de geur. Vanille. Is dit een droom of is het echt? Ze doet haar ogen open. En daar zit mama op de rand van haar bed naar haar te kijken. Dan weet ze het weer. Zo, precies zo ziet ze eruit. Alleen vermoeider dan anders.

'Mama!' Jonna slaat haar armen om haar nek.

'Lieve Jonna,' zegt mama. 'Ik ben alleen thuis voor een

bliksembezoekje, ik heb morgen een belangrijke bespre-
king.'

'Wanneer gaan we naar zee?'

'De volgende keer,' belooft mama.

Het maakt niets uit. Jonna is toch gelukkig.

Alhoewel het midden in de nacht is, drinken ze thee aan
de keukentafel. Jonna wil mama over haar problemen vertellen. Maar het is moeilijk om te beginnen. Het is zo akelig
allemaal. En mama weet niet dat Jonna nu iemand anders
is. Misschien begrijpt ze het niet. Jonna verzamelt moed, er
is zoveel dat ze wil vragen.

Maar dan komt papa de keuken binnen en stoort hen. Hij
kan niet langer op mama wachten. Hij wil dat ze komt slapen. 'Je mag niet de hele nacht opblijven,' zegt hij tegen
Jonna.

'Dat moet jij zeggen,' roept Jonna. 'Jij zit de hele nacht te
schrijven.'

'Is dat waar?' vraagt mama.

Papa lacht schuldbewust.

Jonna weet waarom hij alleen wil zijn met mama. Hij wil
haar knuffelen en kussen, zoals volwassenen altijd doen
als ze alleen zijn.

72

22

Jonna neemt wraak

's Morgens vroeg gaat de bel. Het is Milan, hij staat in het trappenhuis. Jonna voelt zich warm worden als een versgebakken broodje.

'Zullen we naar het dak gaan?' vraagt hij kort.

Natuurlijk wil ze dat. Jonna stopt haar voeten in haar gympen.

'Ik moet bijna weg,' zegt mama.

'Heel even maar?' vraagt Jonna.

Ze klimmen de ladder op en gaan op het asfalt liggen. Zij aan zij. Milan is stil en ernstig. Jonna durft haast geen adem te halen.

Plotseling haalt Milan een reep chocola uit zijn T-shirt te voorschijn en geeft hem aan haar. De chocola is gesmolten en vloeit over het aluminiumfolie.

Jonna likt de chocolademassa op.

Dan begint Milan te lachen. 'Ik moet naar een cursus,' vertelt hij en hij geeft Jonna een bliksemsnel lachje.

'Zo,' zegt Jonna, 'en ik dacht nog wel dat je al Grieks kon praten.'

En dan kunnen ze zich geen van tweeën meer inhouden. Ze barsten in lachen uit.

Als Jonna uitgelachen is, gaat ze rechtop zitten. 'Heb jij tegen Birger gezegd dat ik een chagrijnig mormel ben?'

'Ik was boos, begrijp je? Ik bedoelde het niet zo.' In Milans ogen staat te lezen dat hij de waarheid spreekt.

'En Isminni?'

'Die is wel leuk,' zegt Milan en hij begint te fluiten.

'Net zo leuk als ik?' fluistert Jonna.

Milan houdt zijn mond.

Jonna trekt zijn pet af. 'Geef antwoord!'

'Jij bent leuker,' zegt hij met een scheef, verlegen lachje. 'Vooral nu je chocola op het puntje van je neus hebt.'

Jonna veegt de chocoladevlek met haar handpalm weg. Dan doet ze het. Alhoewel ze niet had gedacht dat ze het zou doen. Ze neemt wraak. 'Birger is verliefd op me,' zegt ze vlug.

Milan staart haar alleen maar aan.

Jonna lacht gemaakt en giechelt op dezelfde manier als Isminni. 'Hij vindt me lief.'

Milans ogen worden zwart.

'Geluk ermee,' zegt hij en hij zwaait zijn benen over de rand.

Als Jonna haar voeten op de grond zet, is hij al helemaal bij het voetbalveld.

De taxi heeft mama al opgehaald.

'Ze heeft iets voor je achtergelaten,' zegt papa.

Op haar bureau staat een pakje met gekrulde linten. Er zit een Eiffeltoren van plastic in, met kleine gekleurde lampjes die aan kunnen. Ze branden in lila, geel en lichtblauw. Jonna zet hem op de sierplank tussen haar andere mooie spulletjes.

DINSDAG 20 JUNI

Ik heb er zo'n spijt van, dat ik pijn in mijn buik heb. Ik heb tegen M. gezegd dat B. verliefd op me is. Nu wordt hij nooit meer mijn vriend. En ik weet niet waarom ik het gedaan heb. Ik vraag me af of Frida gelijk heeft. Dat je stom doet tegen degene van wie je houdt, terwijl je dat niet wilt. Maar waarom dan?

23

Een echte vriendin

Jonna duwt een pizzadoos in de stortkoker als Fanny uit de lift stapt. Ze draagt een nieuwe, gave korte broek en een camouflageshirt. Precies zo eentje als Jonna graag voor haar verjaardag wilde hebben, maar die ze niet kreeg. Mama zei dat je geen kleding moet dragen die doet denken aan alle oorlogen die er op de wereld zijn.

'Heb jij ook nieuwe zomerkleren gekregen?' vraagt Fanny en ze kijkt naar Jonna's gestipte rokje en roze shirt.

Ze gaan op Jonna's bed zitten.

'Eerst waren we in Småland, daarna zijn we naar Finland gegaan en ten slotte naar Götland,' vertelt Fanny. 'Waar ben jij geweest?'

'Thuis.'

'Heb je het niet verschrikkelijk saai gehad?'

Dan kan Jonna het niet laten. Ze hoort zelf hoe gemaakt het klinkt als ze lacht. 'Er is hier anders een hele hoop gebeurd, hoor. Zie je dat dan niet aan me?'

Fanny bekijkt haar nauwkeurig. 'Nee,' zegt ze ten slotte. 'Ik zie niets.'

Dan zegt Jonna het. 'Ik heb liefdesbrieven gekregen.'

Fanny's ogen worden kogelrond.

Jonna pakt de schoenendoos van de bovenste plank. 'Beloof dat je het tegen niemand zegt,' fluistert ze. 'Simon is verliefd op me.'

Jonna laat de brief zien waarin staat dat ze elkaar bij de schommels zullen ontmoeten voordat de dauw verdwenen is.

Fanny leest de brief met een harde stem. 'Simon, van alle jongens!' krijst ze. 'Wat is er gebeurd? Wat heb je gekregen?'

'O, ik heb me verslapen,' zegt Jonna en ze haalt haar schouders op alsof het niet belangrijk is.

'Je bent niet goed wijs,' gilt Fanny. 'Een ontmoeting met Simon missen. Stel je voor dat hij echt verliefd op je is. Hoe weet je trouwens dat hij het is, dat staat toch nergens?'

'Omdat hij me gisteren in het park heeft gekust,' liegt Jonna. 'Ik ben ook verliefd op hem.'

Fanny perst haar lippen op elkaar en kijkt haar sluw aan. 'Ik moet nu naar huis,' zegt ze.

'Je hebt beloofd dat je niets zou zeggen,' zegt Jonna ongerust.

Fanny doet alsof ze het niet hoort. Ze loopt naar de deur.

Nee! Wat heeft ze nu gedaan? Nu gaat Fanny tegen haar vriendinnen vertellen dat Simon verliefd is op Jonna.

Als Simon dat hoort, wordt hij hartstikke kwaad.

Ze zullen haar allemaal uitlachen. En één ding is zeker.

Deze keer zal Milan haar niet verdedigen.

Domme Birger. Het is allemaal zijn schuld.

'Mag ik binnenkomen?' Papa staat voor de deur.

Zonder een antwoord af te wachten stapt hij over de drempel en gaat op de rand van het bed zitten.

'Mama komt zaterdag,' zegt hij. 'Dan gaan we naar zee.'

WOENSDAG 21 JUNI

Eindelijk gaan we weg uit Groendal. Hier heb ik toch niemand. Niet één vriend.

78

24

Vlucht naar Frida's huis

Het regent pijpenstelen. Jonna wil toch niet naar buiten. Ze wil niemand tegenkomen die ze kent. Vooral Simon niet, want Fanny heeft het nieuwtje nu zeker in heel Groendal rondverteld.

Daarom is Jonna bij Frida en houdt ze zich bezig met een beetje van alles wat toch gedaan moet worden. Ze verschoont het bed, schilt aardappelen, stoft af en sorteert oude kranten, zet koffie en hangt kleding te luchten.

'Mijn thuishulp hoeft hier niet meer te komen,' lacht Frida. 'Er is niets meer voor haar te doen.'

'Als je wilt, kan ik hier komen wonen,' stelt Jonna voor.

Ze heeft het precies uitgedacht. Ze stopt met school en gaat werken. Als thuishulp. Op die manier ontsnapt ze aan al haar idiote vrienden. Ze verhuist naar Frida en zorgt 24 uur per dag voor haar. Totdat ze doodgaat. Overdag zullen ze bij de keukentafel zitten, warme chocolademelk drinken en het samen gezellig hebben. 's Nachts kan Jonna op de bank slapen zodat ze Frida's gesnurk niet hoeft te horen.

Mama en papa hebben er beslist niets op tegen. Ze zullen vast denken dat het handig is, want kinderen en oude mensen staan maar in de weg als volwassenen willen werken.

Tegen de avond ploft Frida neer op een stoel in de keuken. 'Ik denk dat ik nog meer hulp vandaag niet aankan,' hijgt ze.

'Haren wassen dan,' zegt Jonna. Ze wil helemaal nog niet weg.

'Nee.' Frida kijkt naar haar met haar zachte kraaloogjes. 'Ik moet op adem komen. We kunnen morgen haren wassen.'

'Ja,' zegt Jonna teleurgesteld. 'Maar ik wil hier blijven en je gezelschap houden. Het is niet goed om alleen te zijn. We kunnen televisie kijken.'

'Nee,' zegt Frida met haar besliste stem. 'Nu wil ik mijn kunstgebit uitdoen en in alle rust wat in de bijbel lezen.'

Jonna wordt gewoonweg buiten de deur gezet.

Papa kijkt televisie.

Jonna gaat naast hem zitten en bijt stiekem op haar nagels. 'Ik ben doodmoe,' zegt ze.

'Dan is Frida dat vast ook,' zegt papa en hij aait haar over haar haren. 'Morgen moet je maar eens wat met je vrienden gaan doen.'

Vrienden. Ze heeft niemand meer over. Papa begrijpt er zoals gewoonlijk niets van.

Jonna gaat naar haar kamer. Het leven is oersaai zonder vrienden. En alles is de schuld van die verdomde brieven. Ze graait de schoenendoos van de plank, stampt naar het trappenhuis en smijt ze in de stortkoker.

Eindelijk is ze van die troep af.

Daarna gaat ze naar bed, ondanks dat het pas half negen en buiten nog steeds licht is. Haar hart huilt.

DONDERDAG 22 JUNI

Waarom is het zo verschrikkelijk moeilijk om groot te worden? Er zou een cursus moeten zijn waar je naartoe kunt om te leren hoe je dat doet. Ik moet naar de minister schrijven en hem vragen om daarvoor te zorgen. Voor degenen die dat nodig hebben. Sommigen kunnen het misschien zelf. Maar ik in ieder geval niet.

25

De laatste brief

Jonna is niet blij en niet verdrietig als ze een nieuwe witte envelop op de deurmat vindt. Ze is toch niet van plan om hem te lezen. Alsof ze een robot is, raapt ze hem op, doet de buitendeur open en loopt naar de stortkoker.

Dan hoort ze een stemmetje in haar binnenste. Die zegt dat ze de brief absoluut niet mag weggooien, dat ze hem eerst moet lezen.

Ze houdt de envelop al boven het donkere gat. Zal ze hem laten vallen of niet? Bliksemsnel trekt ze haar hand terug, doet het luik dicht en gaat naar haar kamer.

Ze scheurt de envelop open, trekt het papiertje eruit en leest:

Hallo mooie Jonna.
Kom om drie uur naar de banketbakkerij.
Ik heb iets voor je.
Van je stille aanbidder.

Daaronder staat een rood, bol hartje.

Eindelijk. Birger gaat het zeggen. Wat zal ze hem ervan langs geven.

De druk op haar borst wordt minder en er borrelt een lach omhoog. 'Papa,' roept ze. 'Vandaag wil ik het middageten maken!'

Jonna weet hoe je pannenkoeken moet bakken. In een kom mengt ze 300 gram meel, 6 deciliter melk en een mespuntje zout. Daar klutst ze drie eieren doorheen. Dan zet ze de koekenpan op de kookplaat, op de hoogste stand. Ze smelt een klontje boter en als dat bruin is, giet ze wat beslag in de pan en draait hem dan totdat de hele bodem bedekt is met een dun laagje.

Als de pannenkoek een tijdje gebakken heeft, steekt ze de schuimspaan eronder en draait hem om, zodat de andere kant ook bruin wordt. Op dezelfde manier bakt ze acht pannenkoeken die ze opgevouwen op een bord legt. Ze zet twee soorten jam, melk, glazen, borden en bestek op de keukentafel. Dan gaat ze naar Frida.

'Je bent uitgenodigd om pannenkoeken te komen eten,' zegt ze.

Het is al half drie als ze klaar zijn.

'Was je nu mijn haar?' vraagt Frida.

Oeps, dat is Jonna vergeten. 'Kunnen we het een andere keer doen?' vraagt ze.

'Het is al twee weken niet gewassen, dus een paar dagen

kan ik ook nog wel wachten,' antwoordt Frida en ze krabt op haar hoofd.

'Ik heb niets speciaals te doen,' zegt papa. 'Misschien kan ik je helpen.'

'Houd jij je maar bij je schrijven,' grinnikt Frida.

'Papa is goed in haren wassen,' weet Jonna.

'Met Gods hulp,' zegt Frida en ze komt overeind.

'Dank je voor het vertrouwen,' lacht papa, terwijl hij een buiging maakt.

Het is precies drie uur als Jonna de deurklink van de banketbakkerij naar beneden duwt. De winkelbel rinkelt keihard. Jonna denkt dat iedereen op straat naar haar kijkt. Zelfs de vrouw die blikjes verzamelt, kijkt nieuwsgierig op.

Binnen zitten drie mensen. Twee vrouwen zitten aan een tafeltje. Aan een ander tafeltje zit Milan. Hij lacht naar haar.

Het is net alsof er een waas voor haar ogen zit als Jonna ziet hoe hij overeind komt en naar haar toe loopt.

'Frisdrank of sap?' vraagt hij.

Plotseling begrijpt ze het. De waarheid treft haar als een bliksemschicht uit een heldere hemel.

Milan pakt haar hand en neemt haar mee naar het tafeltje. Jonna ploft op een stoel.

'Ben jij mijn stille aanbidder?' vraagt ze.

'Wie anders,' zegt Milan.

'Ik dacht dat het iemand anders was,' bekent Jonna.

'Fanny zei dat het Simon was,' zegt Milan.

'Nee.' Jonna schudt heftig haar hoofd. 'Ik dacht dat het Birger was.'

Milan barst in lachen uit. Hij lacht zo hard, dat een van de vrouwen aan het andere tafeltje naar de moeder van Felix gaat. En Felix' moeder komt naar hun tafeltje en zegt dat ze naar buiten moeten als ze niet stiller zijn.

Het brandt in Jonna's keel. Ze voelt de tranen opkomen. Want het is helemaal niet zo dat ze alleen maar blij is, ze voelt zich ook verdrietig.

'Waarom heb je niets gezegd?'

'Dan was het geen geheim meer,' legt Milan uit.

Daar heeft hij natuurlijk gelijk in. En misschien is het niet Milans schuld dat ze Birger ervan verdacht. En eigenlijk is het ook fijn. Dat het Birger niet was.

Milan steekt zijn hand in de zak van zijn broek en haalt een klein doosje te voorschijn. 'Hier,' zegt hij eenvoudig.

Jonna doet het doosje open. Ze ziet een hartje en twee kettinkjes liggen.

'Echt zilver,' vertelt Milan.

'Een vriendschapskettinkje,' zucht Jonna.

Milan pakt het hartje op en breekt het in tweeën. Daarna helpen ze elkaar bij het omdoen van de kettinkjes.

'Ik dacht dat je het aan Isminni wilde geven,' zegt Jonna.

Dan kijkt Milan haar ernstig aan. 'En Simon?' vraagt hij.

Jonna wordt rood. 'Ach, dat was maar gelogen.'

'Goed zo.' Dan bestelt Milan frisdrank en aardbeiengebak bij de moeder van Felix.

Er is iets fantastisch gebeurd. Ik heb een vriendschapskettinkje van M. gekregen. Toen ik het om had, voelde ik me helemaal warm van binnen. En mijn hele lichaam voelt net zo licht als een pluisje van een paardenbloem.

Birger lucht zijn hart

Eindelijk komt mama. Papa en Jonna wachten op de taxi van het vliegveld als de telefoon gaat.

'Nee,' zucht papa, 'ze heeft vertraging.'

Jonna neemt op. Dan legt ze haar hand op de hoorn en fluistert tegen hem: 'Niets aan de hand. Het is Birger maar.'

Jonna is niet bang meer voor Birger. Op dit moment is ze voor niemand bang. Ze is gelukkig. En je kunt niet op hetzelfde moment gelukkig en bang zijn. Dat gaat op de een of andere manier niet.

'Dank je,' zegt ze met een lach in de telefoon.

'Waarvoor?' Birger klinkt verbaasd.

Maar dat kan Jonna niet zeggen. Hoe zou ze uit moeten leggen dat ze dankbaar is dat hij de geheime brieven niet geschreven heeft?

'Ach,' zegt ze daarom. 'Ik maak maar een grapje.'

'Mijn neef is terug naar huis,' vertelt Birger.

'O,' zegt Jonna.

Dan blijft het even stil aan de andere kant van de lijn.

'Ik wil je iets vragen,' zegt Birger uiteindelijk. 'Ik wil je vragen hoe je de vriend van een meisje wordt. Ik heb haar al bloemen gegeven.'

'Je doet lief en bedenkt leuke dingen om te doen,' antwoordt Jonna.

'En als je niet weet waar ze woont?' vraagt Birger.

Dan vertelt hij alles over het meisje dat hij voor de supermarkt heeft ontmoet. Ze had een gele strik in haar haar en was hartstikke knap. Toevallig had hij een boeket bloemen gevonden op het grasveld, bij de grote rozenstruik. Alhoewel hij allergisch is, raapte hij het toch op. En plotseling wist hij waarom. Hij zou de bloemen aan het meisje met de gele strik geven. Ze was er heel erg blij mee. Maar Birger was vergeten om haar naam te vragen.

'Dat kan ik je vertellen,' zegt Jonna meteen. 'Ze heet Isminni en woont in het gele huis bij de jachthaven. Machinistenstraat 17, tweede verdieping.'

ZATERDAG 24 JUNI

B. en ik staan quitte. Hij is helemaal niet zo stom als iedereen denkt. Hij heeft geen stinkvoeten en vecht ook niet. Het snot is omdat hij allergisch is. Mama is thuis. We hebben de hele avond ingepakt. Morgen gaan we naar zee.
Ik heb er zo'n zin in...

27

Aan zee

De zee buldert. De hoge golven slaan over elkaar heen. Als ze tegen de rotsen beuken, vliegt het schuim hoog het land op. Het water is loodgrijs, dezelfde kleur als de hemel, waar de harde wind de wolken voortjaagt.

Jonna zit binnen in de warmte en kijkt naar buiten door het raam van het zomerhuisje, dat streperig is van het zout. Mama en papa grinniken in de keuken. Het voelt veilig. Ze friemelt aan het halve hartje dat om haar nek hangt. Buiten protesteert de natuur, maar in Jonna's binnenste is het kalm.

De dag voordat ze naar de westkust reisden, kwam Fanny op bezoek om te zeggen dat ze er spijt van had. Ze vertelde dat ze uiteindelijk niets tegen Simon had gezegd. Ze had het alleen aan Milan verteld.

Jonna zei dat het niet uitmaakte. Ze bekende dat ze dat met Simon verzonnen had en toen vertelde ze de waarheid. Ze lachten er heel hard om.

Ik geloof dat ik verliefd op M. ben, maar dat heb
ik aan niemand verteld. Niet eens aan mama. M. is
in ieder geval verliefd op mij. Dat is fijn.
Na de zomervakantie ben ik er vast aan gewend.
Aan groot worden, dus. Alhoewel het soms
ingewikkeld is. Mama zegt dat het nog een tijd
duurt voordat ik borsten krijg. Mooi zo!!!
Maar later, als ik rijk ben, wil ik mijn eigen
vliegtuig kopen. Als M. dat wil, kunnen we naar
Afrika om bij zijn vader op bezoek te gaan.

Op de volgende pagina's lees je vast het eerste hoofdstuk
van het tweede boek over Jonna en Milan.

Jonna  Milan

vlinders in je buik

1
Jonna aan zee

Milan. Zodra Jonna wakker wordt, is hij in haar gedachten. Ze heeft over hem gedroomd. Dat ze verkering hadden. Jonna is blij dat het niet echt zo is.

Ze draait zich om en gaat op haar rug liggen. Ze luistert naar het gekrijs van de meeuwen, het geruis van de golven, de zoute wind.

Dan kijkt ze uit het raam. Daar glinstert het water.

Heerlijk! denkt ze. We zijn bij de zee. Mama en papa en ik.

Het gebeurt niet vaak dat ze met zijn drieën samen zijn. Mama werkt meestal in het buitenland. Ze is hartstikke goed met computers. Voor de vakantie was ze in Parijs…

Jonna strekt haar arm uit om de zak winegums te pakken die op het nachtkastje ligt. Een rode ruit belandt regelrecht in haar mond.

Arme Milan. Die is thuis in Groendal gebleven. Ze vraagt zich af wat hij nu aan het doen is. Waarschijnlijk iets samen met Birger en Isminni. Ze zitten vast elke dag bij *La Perla* om pizza te eten.

Hopelijk hebben ze hier net zulke goede pizza's, denkt Jonna en ze voelt een steek van heimwee.

Ze friemelt aan het halve zilveren hartje dat aan een kettinkje om haar nek hangt. Het vriendschapskettinkje dat Milan haar gegeven heeft voordat ze op vakantie ging. De andere helft van het hartje hangt om zijn eigen nek.

En daarom moet ze de hele tijd aan hem denken. Omdat hij gezegd heeft dat hij verliefd op haar is. Dat heeft nog nooit iemand tegen haar gezegd.

Milan is de leukste jongen ter wereld. Toch weet Jonna niet of ze verliefd is. Ze denkt dat ze het was voordat ze op vakantie ging. Maar nu is ze daar niet meer zeker van.

Het is lastig om erover na te denken.

Ze haalt haar dagboek te voorschijn. Dat ligt onder haar kussen. Ze heeft een interessante folder over de Bockstenman tussen de bladzijden gestopt. Dat is een man uit de middeleeuwen die een paar honderd jaar geleden is vermoord. Hij ligt in een glazen vitrine in het plaatselijke museum en kan daar bezichtigd worden.

Jonna huivert als ze leest:

De man was ongeveer 25 jaar oud (gebaseerd op röntgenonderzoek van de tanden), had een lengte van 1.70-1.80 meter en was tenger gebouwd. Behalve zijn kleding zijn zelfs zijn rode krullende haar (waarschijnlijk verkleurd door de zuren in het veen), stukjes huid en vet op het skelet, een stukje van de bovenlip met snor en zijn hersenen bewaard gebleven.

Getver, wat smerig! Ze móét hem gewoon zien. Dat zou Milan ook wel willen.

Jonna en Milan zijn altijd vrienden geweest. Maar hoe weet je of je verliefd bent? Moeilijke vraag. Dat weet je waarschijnlijk pas als je een puber bent. Want dan ben je bijna volwassen. En volwassenen weten alles.

Dat beweren ze tenminste. Uiteraard.

Jonna stopt twee winegums in haar mond en stapt uit bed.

Papa slaapt. Maar mama zit op het terras koffie te drinken. De wind speelt met haar haren. De golven in zee hebben witte schuimkoppen. Jonna gaat naast haar op de schommelbank zitten. Mama slaat een arm om haar heen en Jonna leunt met haar hoofd tegen mama's schouder. Dat is fijn.

'Eindelijk,' zegt mama. 'Eindelijk zijn we weer samen.'

'Moet je na de vakantie terug naar Parijs om te werken?' vraagt Jonna.

'Misschien,' antwoordt mama. 'Maar daar wil ik nu niet aan denken. Kom, dan trekken we onze bikini's aan. Wie het laatst in het water ligt, is een grote oen!'

7

Ze rennen om het hardst over het duin. Het gaat langzaam, hun voeten zakken de hele tijd weg in het zand.

Jonna is het eerst bij de waterkant. Ze aarzelt even voor de vieze rand van verrot zeewier. Dan bijt ze haar tanden op elkaar en waadt erdoorheen. Als ze bij de golven is, gooit ze zich languit in het water. Jonna hapt naar adem als ze de kou voelt. Mama plonst naast haar in de golven.

Even later rennen ze weer naar boven, terug naar het huisje.

Papa wacht op het terras. 'Hoe was het?' lacht hij.

'IJskoud,' rilt Jonna. 'Maar ik heb gewonnen.'

'Ik hoop dat je iemand van je eigen leeftijd vindt om mee te zwemmen. Dan hoef ik niet meer,' lacht mama.

'Ik wil niemand van mijn eigen leeftijd,' zegt Jonna. 'Ik wil bij jou en papa zijn. We zijn bijna nooit samen.'

Uit Jonna en Milan - Vlinders in je buik